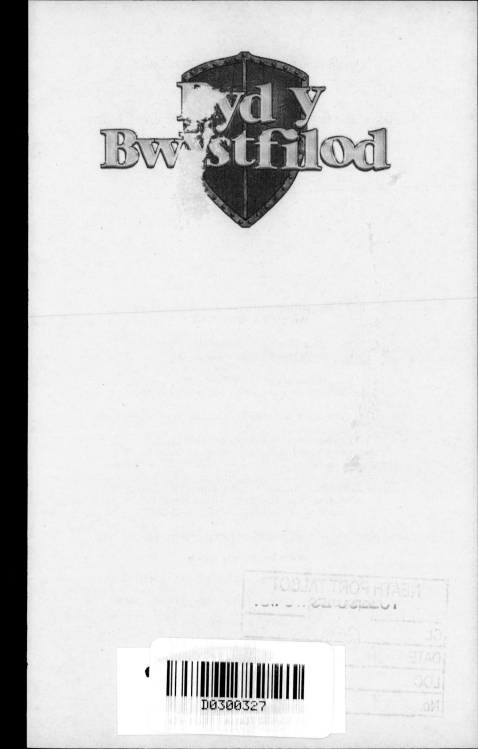

# Dydy Bwystfilod

*Gyda diolch arbennig i Stephen Cole*

*I Karen, am bopeth mae hi wedi ei wneud dros y Cyrch*

**Byd y Bwystfilod: Rhewfys, Anghenfil yr Eira**
**ISBN 978-1-84967-126-2**

Cyhoeddwyd gan RILY Publications
Blwch Post 20, Hengoed CF82 7YR

Addasiad gan Tudur Dylan Jones
Hawlfraint yr addasiad © RILY Pulications Ltd 2012

Cyhoeddwyd gyntaf ym Mhrydain Fawr yn 2007 gan Orchard Books

Cyhoeddwyd yn wreiddiol yn Saesneg fel
*Beast Quest: Nanook the Snow Monster* gan Orchard Books
argraffnod o Hachette Children's Books, a Hachette UK company

Hawlfraint y testun © Working Partners Ltd 2007
Hawlfraint y darluniau clawr © David Wyatt 2007
Hawlfraint y darluniau © Orchard Books 2007

Mae *Beast Quest* yn nod masnach cofrestredig Working Partners Ltd

**www.beastquest .co.uk**

Sefydlwyd y gyfres gan Working Partners Ltd, Llundain

Dymuna'r cyhoeddwyr gydnabod cymorth Cyngor Llyfrau Cymru.

# RHEWFYS
# ANGHENFIL YR EIRA

## GAN ADAM BLADE

### ADDASIAD TUDUR DYLAN JONES

RILY

CLOGW

MYNYDDOEDD
Y GOGLEDD

GWAS

CEFNFOR Y GORLLEWIN

COEDWIG
YR OFN

Y

Afantia

DAU'R

ASTADEDDAU
GWYRDD

PALAS Y
BRENIN IAGO

Y DDINAS

ERWYNAU

DROELLOG

Croeso i deyrnas Afantia. Aduro ydw i – dewin da sy'n byw ym mhalas y Brenin Iago. Rydych chi'n ymuno â ni ar adeg anodd. Gadewch i fi egluro...

Yn ôl yr hen lawysgrifau, ryw ddiwrnod, bydd ein teyrnas heddychlon mewn perygl mawr.

Heddiw mae'r diwrnod hwnnw wedi dod.

O dan felltith Moelfryn y Dewin Du, mae chwe Bwystfil yn rhedeg yn wyllt ac yn dinistrio'r tir yr oedden nhw gynt yn ei warchod – draig dân, neidr fôr, cawr y mynydd, ceffyl-ddyn, anghenfil yr eira, ac aderyn y fflam.

Mae Afantia mewn perygl mawr.

Mae'r hen lawysgrifau hefyd yn rhag-weld y bydd arwr annisgwyl yn codi. Mae'n ysgrifenedig y bydd bachgen yn mynd ar Gyrch i ryddhau'r Bwystfilod o'r felltith, ac yn achub y deyrnas.

Dydyn ni ddim yn gwybod pwy ydy'r bachgen hwn, ond rydyn ni'n gwybod bod ei amser wedi dod...

Gweddïwn y bydd gan ein harwr ifanc y dewrder a'r galon i dderbyn yr her. Ymunwch gyda ni wrth i ni aros a gweld.

Er mwyn Afantia,

Aduro

7

Rhedodd Albin at y bêl ar hyd y cae iâ, gan anwybyddu'r pigyn yn ei ochr. Gorfododd ei goesau i redeg yn gyflymach ac yn gyflymach…

Roedd ei dîm un gôl ar ei hôl hi ac roedd hi'n tywyllu. Yn fuan, byddai pawb yn mynd 'nôl i'r gwersyll i gael swper a byddai'r gêm ar ben. Petai ond yn gallu sgorio gôl i wneud y sgôr yn gyfartal…

Cyrhaeddodd Albin y bêl eiliad cyn y gôl-geidwad, a'i chicio hi'n wyllt.

Hedfanodd trwy'r gôl agored gan greu cawod eira.

'Hwrê!' gwaeddodd, a thyrrodd ei dîm o'i amgylch i'w longyfarch yn frwd.

'Dy dro di ydy hi i nôl y bêl,' meddai'r gôl-geidwad yn bwdlyd. Doedd o ddim yn hapus!

Doedd dim rhwyd rhwng y pyst, ac roedd Albin wedi cicio'r bêl mor galed nes ei bod wedi glanio yn y twyni eira y tu ôl i'r cae iâ.

'Cymer di ofal,' meddai bachgen arall. 'Mae'r hen bobl yn dweud eu bod nhw wedi gweld panther eira yn y twyni.'

'Wrth gwrs. Bydda i'n ofalus,' gwenodd Albin.

Roedd o wedi byw yng ngogledd rhewllyd Afantia ar hyd ei oes ac yn adnabod y dirwedd wen aeafol fel cefn ei law – y paith iâ, y môr a'r llyn rhewllyd, y twyni eira a'r gwersyll nomadaidd ble roedd o a'i deulu'n byw.

'Does dim byd i'w ofni!' meddyliodd.

Rhedodd at ochr y cae iâ a sgrialu i fyny un o'r twyni eira. O ben y twyn doedd dim i'w weld ond y tiroedd gwyn, caled yn ymestyn i'r pellter ac yn disgleirio yng ngolau'r hwyr. Cododd Albin ei ddwylo dros ei lygaid i'w hamddiffyn rhag haul llachar y machlud, ond ni allai weld y bêl yn unman. Clywai ei ffrindiau'n gweiddi a chwerthin yn y pellter wrth iddyn nhw fynd 'nôl i'r gwersyll.

Llithrodd i lawr ochr arall y llethr a glanio ar lwybr rhewllyd, cul a arweiniai rhwng y twyni. Dacw'r bêl. Ond... roedd hi wedi'i gwasgu'n fflat. Edrychodd arni mewn penbleth. Beth oedd wedi digwydd iddi?

Yna clywodd sŵn gwahanol. Sŵn tincial uchel, rhyfedd – fel cloch.

Wrth i Albin syllu i lawr at y bêl, daeth cysgod drosto. Cysgod anferth.

Edrychodd i fyny gan deimlo arswyd ofnadwy.

Safai creadur enfawr, bum gwaith ei faint, uwch ei ben. Siglai'r anghenfil o un ochr i'r llall ar ei goesau ôl anferth. Roedd ei flew hir yn drwchus ac yn wyn. Rhythai llygaid gwaetgoch i lawr ar Albin, ac roedd crafangau ifori cawraidd yn crafu'r awyr. Glafoeriodd ac agor ei geg yn gyflym gan ddangos dannedd melyn, miniog fel cyllyll. Gwisgai'r bwystfil gloch fach efydd ar gadwyn o amgylch ei wddf ac roedd y blew o'i hamgylch wedi'i rhwygo gan adael cnawd pinc, amrwd.

Allai Albin ddim sgrechian, hyd yn oed – roedd yr ofn yn ei fygu. Ceisiodd droi a rhedeg, ond roedd ei goesau'n rhy wan. Llithrodd a disgyn ar ei gefn.

Trawodd yr anghenfil ei bawen anferth ar y llwybr rhew.

Ysgydwodd yr ergyd bob asgwrn yng nghorff Albin. Ymbalfalodd i'w draed yn llawn arswyd gan daflu'i hun i ganol un o'r twyni eira. Crafangodd yr anghenfil ochr y bachgen, a rhwygo trwy'i ddillad trwchus at ei groen. Sgrechiodd Albin mewn poen. Rhoddodd ei law ar ei ochr a theimlo gwaed tew, cynnes.

Ceisiodd sgrialu i ben un o'r twyni. Petai'n gallu cyrraedd y copa, o fewn golwg i'r gwersyll, efallai y byddai gobaith ganddo...

# CYRCH Y GOGLEDD YN CYCHWYN

'Mae'n siŵr gen i,' meddai Tom, 'mai dyma'r lle mwyaf anhygoel i ni ei weld ar Gyrch y Bwystfilod!'

Safai'n stond a rhythu allan dros ddiffeithwch y paith rhewllyd. Roedd yr iâ'n ymestyn i'r pellter, at y gorwel a thu hwnt – yn wynder disglair, llachar o dan awyr las a chlir. Roedd haul diwedd y prynhawn yn gryf.

'Mae hi mor llwm yma,' meddai Elena gan grynu. 'Ond mae hi'n brydferth hefyd.'

Gwasgai Arian, ei blaidd anwes, yn dynn ati, a phlu eira gwyn yn gymysg â phibonwy bach o rew ar ei flew llwyd. Rhoddodd ei breichiau amdano, yn ddiolchgar o gael teimlo gwres ei gorff.

'Mi edrycha i ar y map i weld faint pellach sydd i fynd,' meddai Tom. Tynnodd yr hen femrwn blêr a gafodd gan y Dewin Aduro allan o'i boced.

Safai Storm y ceffyl fel cysgod du yng nghanol yr holl wynder. Gweryrodd yn ysgafn wrth i Tom anwesu'i wddf. Doedd Tom nac Elena ddim yn gallu marchogaeth y ceffyl ar y paith iâ gan fod ei garnau'n llithro. Roedd y daith, felly, wedi bod yn hir ac araf.

'Rydyn ni'n agos at ffin ogleddol Afantia. Mae'n rhaid ein bod ni'n dod at ddiwedd y daith.' Pwyntiodd Tom at

y llwybr coch, disglair ar y map, y
llwybr a ddangosai'r ffordd iddyn
nhw. Nid map cyffredin oedd hwn.
Roedd ganddo bwerau hudol, ac
roedd Tom wedi'i gael gan y Dewin
Aduro, cynghorydd arbennig y
Brenin. Roedd y map eisoes wedi
arwain Tom ac Elena i bedwar man
gwahanol ar eu Cyrch cyfrinachol i
waredu'r deyrnas o felltith ddieflig y
Bwystfilod.

Roedd Tom wedi clywed llawer o straeon am y Bwystfilod, y creaduriaid chwedlonol oedd yn byw yng nghorneli pellaf y deyrnas. Roedden nhw'n gwarchod Afantia ac yn helpu'r wlad i fod yn llewyrchus. Pan oedd yn fachgen bach, yn cael ei fagu gan ei fodryb a'i ewythr, arferai feddwl mai straeon tylwyth teg oedden nhw. Doedd erioed wedi gweld Bwystfil. Ond wedyn, doedd o erioed wedi gweld ei dad, Taladon, chwaith.

Doedd Tom ddim yn siŵr a fyddai byth yn cyfarfod â'i dad, ond gwyddai bellach fod y Bwystfilod yn rhai go iawn. Roedd Moelfryn y Dewin Du wedi eu carcharu nhw trwy felltith ddieflig ac yn eu defnyddio i ledaenu dinistr ac ofn ar hyd a lled y wlad. Roedd yn rhaid i un person arbennig fynd ar Gyrch i ryddhau'r Bwystfilod ac achub y deyrnas rhag cael ei

dinistrio'n llwyr – a dewiswyd Tom
gan y Brenin Iago a'r Dewin Aduro.
Roedd yn benderfynol o beidio â'u
siomi.

Roedd wedi cychwyn ar ei Gyrch
gyda dim ond Storm, ei gleddyf a'i
darian i'w amddiffyn. Ond yn fuan
roedd wedi cyfarfod ag Elena ac Arian,
ac roedden nhw wedi ymuno ag ef.
Hebddyn nhw, gwyddai Tom na allai
byth fod wedi llwyddo yn ei dasg.
Gyda'i gilydd, roedden nhw wedi
rhyddhau pedwar Bwystfil rhag
melltith Moelfryn, a rŵan roedden
nhw am chwilio am y pumed –
Rhewfys, anghenfil yr eira.

Tyfai'r rhan fwyaf o'r perlysiau prin
oedd yn cael eu defnyddio i wneud
moddion i bobl Afantia yn nhir
rhewllyd y gogledd. Ond heb Rhewfys
i warchod y llwythau teithiol oedd yn
byw yno, allen nhw ddim eu tyfu na'u
casglu. Roedd y deyrnas yn dechrau

mynd yn brin o foddion! Gwyddai Tom fod yn rhaid iddo ddod o hyd i anghenfil yr eira a'i ryddhau o'r felltith. 'Tra bo gwaed yn fy ngwythiennau,' meddyliai, 'fydda i byth yn ildio.'

'Mae'n well i ni fynd,' meddai Elena, gan astudio'r map. Pwyntiodd at glwstwr o bebyll bach a godai o'r memrwn, gan grynu'n ysgafn yn yr awel oer. 'Mae'n edrych fel pe bai gwersyll heb fod yn bell. Efallai y gallwn ni aros noson yno. Dwi wedi blino cymaint, gallwn i gysgu ar fy nhraed!'

'A finna,' meddai Tom. 'I ffwrdd â ni.'

Roedd Tom yn arwain Storm wrth ei awenau, ac Elena ac Arian yn eu dilyn. Wrth iddyn nhw gychwyn dros y rhew unwaith eto, cododd gwynt sydyn, gan wneud iddyn nhw grynu, er eu bod yn gwisgo dillad cynnes.

Cyflymodd Tom ei gamau. 'Tyrd – gorau po gyntaf i ni gyrraedd y lloches.'

Yna safodd Arian a chyfarth yn uchel ddwy waith.

Aeth Elena i'w chwrcwd wrth ei ochr. 'Beth sy'n bod, fachgen?'

Sylwodd Tom ar lygaid y blaidd yn culhau. Roedd sŵn chwyrnu'n codi o gefn ei wddf. 'Efallai ei fod yn gallu synhwyro rhywbeth,' meddai. Arian oedd y cyntaf i synhwyro perygl fel arfer.

Chwipiodd chwa cryfach o wynt yn erbyn eu dillad. Y tro hwn daliodd y gwynt i chwythu'n filain. O fewn munudau, roedd yn rhuo tuag atyn nhw, a darnau bach o eira a rhew yn pigo'u crwyn.

'Gobeithio nad oes storm eira ar y ffordd,' gwaeddodd Elena uwchben y gwynt. 'Awyr las, glir oedd yma funudau'n ôl.'

'Dim erbyn hyn,' gwaeddodd Tom. Roedd yr awyr uwchben yn llwyd tywyll ac yn ferw o blu eira gwyllt.

'Mae'n rhaid i ni ddal i fynd, a
chyrraedd y gwersyll.'

Ond a'r haul wedi'i guddio'n llwyr
gan yr eira a'r cymylau,
sylweddolodd yn sydyn nad oedd
unrhyw ffordd iddyn nhw wybod ble
roedden nhw. Roedd y map yn
ddiwerth.

'Dwi'n meddwl mai'r ffordd hyn...'
meddai Tom gan droi i'r niwl

llwydwyn, trwchus. Ceisiodd beidio â
mynd i banig. Prin roedd yn gallu
cadw'i lygaid ar agor oherwydd yr eira
pigog. 'Neu ai'r ffordd yma roedd y
gwersyll?'

'Dwi ddim yn siŵr,' meddai Elena
wrth i'r storm ffyrnigo o'u hamgylch.
'Ond bydd yn rhaid i ni ddod o hyd i
gysgod yn fuan, neu fydd dim gobaith
i ni fyw drwy'r storm eira yma!'

# LLOCHES YN YR EIRA

Roedd Tom wedi wynebu llawer o
beryglon yn ei Gyrch – doedd o ddim
am adael i storm eira ei guro!
Ond roedd ei draed, ei ddwylo a'i
wyneb yn fferru. Yn fuan iawn
byddai ei gorff i gyd wedi'i barlysu
gan oerfel.

Gafaelodd yn dynn yn awenau
Storm a'i arwain trwy'r eira.
Gobeithiai mai dyma'r ffordd i'r

gwersyll. Ond doedd o ddim yn
siŵr...

'Mae'r eira'n fy nallu i!' gwaeddodd
Elena.

'Gafaela yn Storm!' bloeddiodd Tom
wrthi, ond cipiodd y gwynt y geiriau
o'i geg. Ceisiodd hercian ymlaen –
ond yn sydyn tarodd yn erbyn
rhywbeth caled.

'Be sy 'na?' sgrechiodd Elena
uwchben y gwynt.

'Dwi wedi'n harwain i mewn i
luwch eira!' llefodd Tom mewn
anobaith.

Yna teimlodd Arian yn gwthio
heibio'i goesau ac yn dechrau
tyllu i mewn i'r domen eira
anferth.

'Wrth gwrs! Gallen ni dyllu—'
dechreuodd Tom yn obeithiol.

'—ogof eira!' gorffennodd Elena.
Aeth i'w chwrcwd a dechrau
crafangu'r eira caled.

'Aros,' meddai Tom, gan dynnu'i darian oddi ar ei gefn. Y Dewin Aduro oedd wedi'i rhoi iddo. Roedd hi'n darian arbennig – bob tro roedd Tom yn rhyddhau Bwystfil, enillai'r darian nerth hudol newydd. Gan ei fod wedi ymladd y ddraig dân, y neidr fôr, cawr y mynydd a'r ceffyl-ddyn, gallai'r darian ei amddiffyn rhag tân, boddi neu ddisgyn o uchder mawr – a gallai hyd yn oed wneud iddo fynd yn gyflymach. Ond ar yr union eiliad hon, gallai ei defnyddio fel rhaw!

Dechreuodd dyllu i mewn i'r lluwch eira ag ymyl y darian. Crafodd Arian y lluwch â'i bawennau trwm, a thynnodd Elena gleddyf Tom o'r wain a dechrau taro'r eira. 'Bydd angen clamp o ogof ar gyfer y pedwar ohonon ni!' gwaeddodd.

'Bydd y gwaith yn ein cadw ni'n gynnes,' bustachodd Tom, gan daro'i darian yn galed yn erbyn y lluwch.

'Ond dwn i ddim sut gallwn ni gael Storm i mewn...'

Wrth glywed ei enw, camodd Storm ymlaen a dechrau bwrw'r eira â'i garnau blaen. Teimlai Tom falchder mawr. Roedd y pedwar ohonyn nhw wedi dod mor bell gyda'i gilydd, oherwydd eu bod nhw'n gweithio fel tîm. Gallen nhw goncro'r storm eira farwol yma!

O'r diwedd roedden nhw wedi tyllu digon i ffurfio ogof fyddai'n eu

hamddiffyn rhag y tywydd gwaethaf.
Camodd Elena ac Arian i mewn yn
gyntaf.

'Tyrd, Storm,' meddai Tom. Dim
ond rhan flaen Storm allai wasgu i
mewn i'r ogof, ond byddai hynny'n
cadw llawer o'r gwynt draw.
Gorchuddiodd Tom gefn Storm â
blancedi, ac arwain pen a choesau
blaen y ceffyl i mewn i'r ogof.
Yna eisteddodd wrth ochr Elena ar
yr eira.

Roedd hi'n dywyll ac yn oer. Eisteddent yn eu cwrcwd yn glwstwr clòs gydag Arian yn y canol i geisio cadw'n gynnes. Safai Storm a'i drwyn yn pwyso ar ysgwydd Tom, gan snwffian yn ysgafn.

Edrychodd Tom ac Elena ar ei gilydd.

'Dyma'r gorau allwn ni ei wneud,' mwmialodd Tom.

Eisteddodd y ddau mewn tawelwch anesmwyth, yn gwrando ar y gwynt yn rhuo y tu allan. Tybed fyddai'r eira'n cau ceg yr ogof a'u carcharu y tu mewn? Allen nhw wneud dim ond eistedd ac aros...

Yna, ar amrantiad, peidiodd y sŵn.

Tawelodd y gwynt. Sleifiodd pelydryn o haul i mewn i'r ogof y tu ôl i Storm.

'Alla i ddim credu'r peth,' meddai Tom, gan annog Storm i symud allan o'r ogof.

Bagiodd y ceffyl allan o'r twll, yna sefyll y tu allan gan ysgwyd y blancedi oddi arno. Rhuthrodd Arian allan i'r haul a chyfarth yn uchel. Gafaelodd Tom yn llaw Elena, a chropiodd y ddau allan o'r ogof gyda'i gilydd.

Roedd yr awyr yn clirio a glasu wrth y funud, a'r haul yn rhyfeddol o gynnes.

'Mae fel petai'r tywydd gwael wedi codi'i bac a diflannu,' meddai Elena mewn penbleth.

'Roedd hi'n storm anarferol iawn,' cytunodd Tom. 'Tyrd – gorau po gyntaf gyrhaeddwn ni wersyll y teithwyr. Efallai y byddan nhw'n gwybod ble gallwn ni ddod o hyd i Rhewfys.'

Yn sydyn roedd golwg ddifrifol ar wyneb Elena. Pwyntiodd at y llawr. 'Drycha, Tom – efallai y bydd Rhewfys yn dod o hyd i ni gynta!'

Yn yr eira o'u blaenau roedd ôl
troed anferth. Roedd yn fwy nag
unrhyw ôl troed roedd Tom wedi'i
weld o'r blaen a'r pantiau dwfn yn
dangos olion y bawen a'r crafangau'n
glir. Roedd perchennog yr olion

yma'n greadur mawr – creadur mawr
iawn.

Syllodd Tom dros y caeau eira.
Roedden nhw'n *edrych* yn wag, o
leiaf.

Ond gwyddai rŵan fod anghenfil
yno yn rhywle...

Ac roedd yn rhaid iddyn nhw
groesi'r caeau iâ hynny er mwyn
cyrraedd y gwersyll.

# PENNOD TRI

# YMLADD AR
# Y CAEAU EIRA

Prysurodd Tom, Elena, Arian a Storm
yn eu blaenau tuag at wersyll y
teithwyr. Roedden nhw'n llithro a
sglefrio ar draws y caeau iâ ac yn
edrych o'u cwmpas yn ofnus am
unrhyw arwydd o'r anghenfil eira.
Disgleiriai haul yr hwyr yn llachar
mewn ambell bwll o eira wedi toddi.
Tybed beth oedd o dan y caeau iâ,

meddyliodd Tom. Ai tir cadarn?
Neu'r môr? Doedd ganddo ddim
syniad. Allen nhw wneud dim ond
mynd yn eu blaenau a gobeithio'r
gorau.

Yna sylwodd Tom ar smotyn tywyll
yn y pellter yn symud tuag atyn nhw.
Cysgododd ei lygaid i weld yn well.
Roedd y smotyn yn tyfu wrth ddod
yn nes.

'Drycha!' galwodd ar Elena. 'Mae
ganddon ni gwmni!'

'Be sy 'na?' gofynnodd hithau.

Syllodd y ddau ar y smotyn.

Wrth iddo agosáu, gallen nhw weld
mai car llusg pren oedd yn rhuthro
tuag atyn nhw dros yr iâ, yn cael ei
dynnu gan ebol euraid, urddasol.

Eisteddai dyn yn nhu blaen y car
llusg, wedi'i lapio'n gynnes mewn
crwyn anifail a het ffwr. 'Wô!'
gwaeddodd, gan dynnu ar yr
awenau, ac arhosodd yr ebol yn

ufudd wrth ymyl Tom ac Elena.
Roedd ei garnau wedi hen arfer ar y
rhew.

'Cyfarchion,' meddai'r dyn. 'Fi yw
Brynach, pennaeth fy llwyth.'

Estynnodd Tom ei law. 'Fi yw Tom,
a dyma Elena.'

'A dyma'n ffrindiau ni, Storm ac
Arian,' ychwanegodd Elena. 'Blaidd
dof yw Arian. Wnaiff o ddim gwneud
niwed i chi.'

'Dwi'n falch clywed!' meddai
Brynach. Gafaelodd Brynach yn llaw
Tom gan ffurfio dwrn ohoni, a tharo'i
ddwrn ei hun yn ei herbyn. 'Dyma
ffordd fy mhobol i o gyfarch,'
eglurodd, cyn gwneud yr un peth i
Elena. Aeth yn ei flaen, 'Anaml iawn
mae unrhyw un yn teithio dros
gaeau iâ'r gogledd. A phrin byth gyda
cheffyl mor arbennig.'

Oedodd Tom. Gwyddai eu bod yn
edrych yn amheus. Ond roedd y

brenin wedi mynnu eu bod nhw'n tyngu llw i gadw Cyrch y Bwystfilod yn gyfrinach. Beth oedd o'n mynd i'w ddweud?'

'Mi ges i Storm yn anrheg,' meddai'n ofalus, heb roi unrhyw fanylion. 'Dwi wedi'i farchogaeth hanner ffordd ar draws y deyrnas ar neges bwysig.'

'O!' meddai Brynach, 'a beth yw honno, tybed?'

'Perlysiau,' meddai Elena'n gyflym. 'Rydyn ni wedi dod i chwilio am berlysieuyn prin i drin salwch sydd wedi lledu drwy'n tref ni.' Croesai ei bysedd y tu ôl i'w chefn wrth siarad. 'Mae gwastadeddau'r gogledd yn enwog am eu perlysiau meddygol, yn tydyn?'

Cytunodd Brynach. 'Ydyn wir. Efallai fod ganddon ni'r union beth i chi. Mae perlysiau'r Arctig yn arbennig oherwydd eu bod nhw'n brin.' Aeth i'w gwrcwd wrth ymyl llain o ddail gwyrdd a'u tynnu allan yn ofalus. Roedd gwreiddiau'r planhigion yn wyn ac yn fain. 'Mae hwn, er enghraifft, yn fath o wymon sy'n gallu tyfu mewn iâ. Mae'n helpu i atal y dwymyn. Rydyn ni wedi codi gwersyll yma ar yr arfordir er mwyn gallu ei fedi.'

'Felly... rydyn ni wedi bod yn cerdded dros fôr wedi rhewi?' meddai Tom yn bryderus, gan syllu ar yr iâ oddi tano. Roedd yn ymddangos yn hollol soled iddo fo.

'Do, wir. Mae'r caeau iâ'n drwchus mewn rhai mannau ac yn denau mewn mannau eraill. Rydych chi'n lwcus eich bod chi wedi cyrraedd yma'n saff.' Rhoddodd Brynach y planhigyn mewn sach fach oedd wedi'i chlymu o amgylch ei ganol.

'Yn lwcus iawn!' meddai Elena. 'Mi fu raid i ni dyllu ogof i gysgodi rhag y storm eira.'

Ochneidiodd Brynach. 'Rydan ni'n cael llawer o stormydd eira anarferol y dyddiau hyn. Ac mae'r haul wedi bod yn gryfach. Mae'r gwres yn golygu bod mwy a mwy o anifeiliaid gwylltion yn hela ar y tir. Roedd un wedi ymosod ar fy mab i ddoe.'

'A heb Rhewfys i'ch gwarchod chi,' meddyliodd Tom, 'rhaid bod anifeiliaid gwyllt yn fygythiad ofnadwy.'

'Dydy'r caeau iâ ddim mor saff ag oedden nhw'n arfer bod,' meddai Brynach fel petai wedi darllen meddwl Tom. 'Mae'n amser anodd, a byd natur yn aflonydd.' Yna meddai, 'Mae croeso i chi ddod 'nôl i'n gwersyll ni a gorffwyso yno. Mae o y tu ôl i'r crib o dwyni eira ym mhen draw'r cae iâ yma.'

'Diolch. Mi wnawn ni,' meddai Tom.

'Ond does ond lle i un ohonoch chi ar y car llusg,' meddai'r pennaeth.

'Dos di,' meddai Tom wrth Elena. 'Mi wnaiff Storm a fi ddilyn y car llusg yn ôl i'r gwersyll.'

Neidiodd Elena at y cyfle. Roedd hi wrth ei bodd yn cael cyfle i fynd ar ei thaith gyntaf ar gar llusg go iawn. Neidiodd i fyny ac eistedd y tu ôl i Brynach, yn wên o glust i glust. Neidiodd Arian ar ei hôl, a swatio wrth ochr Elena.

Cododd Tom ei law wrth i'r car llusg brysuro'n ôl i wersyll y teithwyr. Ond wrth i'w sŵn ddiflannu yn y pellter, daeth rhyw dawelwch iasol yn ei le. Edrychodd Tom o'i amgylch ar y gwastadeddau iâ.

Roedd byd natur yn aflonydd – a felly hefyd anghenfil yr eira. Mae'n rhaid mai Rhewfys oedd yn achosi'r holl dywydd rhyfedd. Pa esboniad arall oedd yna?

Roedd yr awyr uwchben yn tywyllu unwaith eto.

'Mae'n rhaid i mi ddod o hyd i Rhewfys,' meddai wrtho'i hun, 'hyd yn oed os mai dyna'r peth olaf wna i!'

# PENNOD PEDWAR

# ARSWYD Y NOS

Roedd hi bron yn dywyll pan
gyrhaeddodd Tom wersyll y teithwyr
lle roedd yno nifer o bebyll mewn
cylch o gwmpas coelcerth fawr.
Pebyll bach, byr oedd rhai, ac eraill
yn gul ac yn uchel. Edrychai fel
pentref corachod wedi'i adeiladu o
frigau a chrwyn anifail. Wrth i Tom
agosáu at y gwersyll, gwelai fod y
bobl hefyd wedi'u lapio mewn ffwr a
chrwyn. Roedd pawb yn brysur yn

gwneud gwahanol bethau – chwarae pêl-droed, coginio dros y tân, sgubo eira oddi wrth y pebyll a didoli'r perlysiau Arctig gwerthfawr cyn eu golchi a'u sychu nhw dros y tân.

Safai Elena'n aros am Tom, yn gwisgo dillad benthyg a wnaed o ledr gwydn. Neidiodd Arian i fyny wrth ei weld, gan gyfarth yn uchel.

'Alla i ddim cofio'r tro diwethaf i mi deimlo mor gynnes a sych!' meddai Elena, gan wasgu bwndel i freichiau Tom. 'Dyma ddillad sych i tithau hefyd.'

Trodd Tom a gweld Brynach yn agosáu gyda bachgen ifanc wrth ei ochr.

'Croeso i'n gwersyll ni, Tom,' meddai'r pennaeth. 'Dyma fy mab i, Albin.'

'Helô,' meddai'r bachgen. 'Wyt ti eisiau gweld fy nghlwyfau i?' Cododd ei diwnig gwlanen gan ddangos tair hollt ddofn yn ei ochr. Roedden nhw'n edrych yn boenus.

'Aw! Sut gest ti rheina?' gofynnodd Tom.

'Roedd anghenfil eira wedi ymosod arna i yn y twyni eira, ond mi lwyddais i ddianc,' meddai Albin yn falch.

Edrychodd Tom ac Elena ar ei gilydd.

'Anghenfil eira, wir!' meddai ei dad. 'Pa anifail bynnag oedd o, roeddet ti'n lwcus i beidio â chael dy frifo'n ddrwg – neu waeth. Sawl gwaith ydw i wedi dy rybuddio di i beidio â chrwydro'n rhy bell o'r gwersyll?' Tarodd ei fab yn ysgafn ar ei ben.

Gwenodd Albin yn ddireidus, ond roedd golwg ofnus yn ei lygaid.

'Anghenfil eira *oedd* o,' meddai'n dawel. 'Ac roedd o'n gwisgo cloch o gwmpas ei wddf.'

Yn fuan, roedd y llwyth wedi ymgasglu o amgylch y tân i fwyta, a Tom ac Elena wedi ymuno efo nhw. Doedd fawr o hwyliau ar neb, a phawb yn dawel a diflas. Bwydai Elena ychydig o'i chawl i Arian, a chysgodai Storm yn gyfforddus yn y stablau lle roedd gwely trwchus o wellt sych, gwair blasus a bwcedaid o ddŵr.

Wedi iddi nosi, swatiodd pawb i gysgu o amgylch gweddillion y tân.

Yn fuan, roedd Elena ac Arian yn cysgu'n drwm. Hoffai Tom pe gallai gysgu mor hawdd â hynny. Roedd hanes Albin a'r anghenfil wedi ei gynhyrfu a deffro'i ofnau ynghylch cyfarfod â Rhewfys... Ond gwyddai mai ei dynged oedd wynebu'r union ofnau hynny. Y Cyrch hwn oedd y peth pwysicaf roedd Tom wedi'i wneud erioed. Gwyddai na allai ildio rŵan – roedd Elena, Arian, Storm ac

yntau wedi dod mor bell. Roedd yn
rhaid iddyn nhw gwblhau'r Cyrch ac
achub y deyrnas!

Yn sydyn, clywyd sŵn udo
annaearol – a hwnnw'n agos iawn.

Deffrodd Arian yn syth, ei grib yn
codi a'i ddannedd yn ysgyrnygu.
Cododd pobl ar eu traed rhwng cwsg
ac effro ac mewn panig. Estynnodd
Tom ei gleddyf, ei galon yn curo'n
galed.

'Cath eira!' gwaeddodd rhywun.

'Mae hi'n union wrth ymyl!' llefodd
un arall. 'Rhedwch!'

'Na – peidiwch â symud,'
bloeddiodd Tom. Rhewodd pawb.
'Wnaiff cath fawr ddim ymosod
arnon ni os arhoswn ni efo'n gilydd,'
gwaeddodd. 'Ond os byddwn ni'n
gwahanu a gwasgaru, bydd yn mynd
am y targed hawsaf.'

Daeth y sŵn udo eto, hyd yn oed
yn agosach y tro hwn.

'Ar un adeg byddai Rhewfys
wedi codi ofn ar y cathod eira,'
sibrydodd Elena. 'Ond rŵan maen
nhw'n rhydd i ymosod fel y mynnon
nhw.'

Cytunodd Tom. 'Diolch byth mai
dim ond un ohonyn nhw sy 'na.'

Ond wrth iddo siarad, dechreuodd
Arian droi yn ei unfan a chwyrnu –
i'r cyfeiriad arall.

Ebychodd Elena. 'Tom – beth os
oes mwy nag un? Beth os ydy'r
gath eira gynta'n ceisio tynnu'n sylw
ni—'

'—tra bod ei ffrindiau'n sleifio tu ôl
i ni,' gorffennodd Tom.

Trodd y ddau i edrych y tu ôl
iddynt.

Ac yn wir, ymddangosodd dau bâr
o lygaid gwyrdd o'r tywyllwch y tu
draw i'r tân.

'Gwyliwch!' gwaeddodd Tom.

Neidiodd dwy gath wen anferth allan o'r nos, gan ruo'n ffyrnig.

Yn sydyn, roedd hi'n anhrefn llwyr gyda phobl yn sgrechian ac yn rhedeg i bob cyfeiriad, yn cydio mewn plant ac yn gweiddi am eu teuluoedd.

Roedd yn rhaid i Tom wneud rhywbeth! Meddyliodd yn gyflym, yna â'i holl nerth, bwrodd ei gleddyf i mewn i ganol y tân a'i hollti trwyddo. Tasgodd brigau gwynias, gwreichion a marwor i wynebau'r anifeiliaid ffyrnig.

Udodd y cathod eira mewn poen a neidio am yn ôl. Ond doedden nhw ddim wedi gorffen eto. Roedden nhw'n llwgu, a gallent arogli'r cawl o amgylch y tân! Roedden nhw'n sgrechian a gwichian mewn poen wrth iddyn nhw lamu ymlaen unwaith eto a'u crafangau'n ymestyn.

Y tro hwn, gafaelodd Tom mewn cangen danllyd o'r fflamau a'i chwifio'n wyllt i gyfeiriad y creaduriaid gan weiddi nerth ei ben.

Cleciodd y cathod eu safnau a hisian fel nadroedd cyn ildio a sleifio i'r tywyllwch ar eu boliau.

'Diolch, Tom,' ochneidiodd Brynach.

Anadlodd Tom yn grynedig, ei goesau'n gwegian. 'Arian achubodd ni. Hebddo fo fyddwn i ddim wedi sylwi bod dwy gath ffyrnig y tu ôl i ni.'

'Dydy'r cathod eira erioed wedi mentro dod mor agos o'r blaen,' ebychodd dyn arall.

'Beth wnawn ni?' llefodd dynes. 'I ble allwn ni fynd i fod yn ddiogel?'

Edrychodd Tom ar Elena. 'Fydd neb byth yn saff yma,' mwmialodd. 'Ddim hyd nes y byddwn ni'n rhyddhau Rhewfys i amddiffyn y caeau iâ unwaith eto. Mae'n rhaid i ni ddod o hyd i'r anghenfil eira – a hynny'n gyflym!'

# YR ANTUR FAWR

Y bore wedyn, deffrodd Tom ar
doriad gwawr. Roedd y goelcerth
wedi diffodd a'r cyfan oedd yn
weddill oedd pentwr o farwor coch.

Roedd gan Tom gynllun. Ond yn
gyntaf roedd yn rhaid iddo fenthyg
car llusg.

Ysgydwodd Elena'n ysgafn i'w
deffro hi, a chripiodd y ddau i ffwrdd
yn ddistaw gan adael pobl y gwersyll

yn cysgu. Troediodd Arian yn ysgafn
ar eu holau.

Roedd y pennaeth wedi gosod
gwarchodwyr o amgylch y gwersyll
am weddill y noson, i wylio am
unrhyw gathod eira eraill. Er na
welwyd un arall, roedd eu sŵn udo
llwglyd i'w glywed drwy'r nos. Daeth
Tom ac Elena o hyd i Brynach ar
ddyletswydd ar ochr y gwersyll, yn
syllu dros y caeau iâ.

'Mae'n rhaid i ni fynd rŵan,' meddai
Tom. 'Ond mae angen car llusg arnon
ni. Allwch chi roi benthyg un i ni?
Fedrwn ni ddim teithio'n ddigon
cyflym ar droed, a dydy'r ceffyl ddim
wedi arfer teithio ar iâ.'

Edrychodd Brynach arnyn nhw'n
graff am eiliad. 'Wyt ti erioed wedi
gyrru car llusg?' gofynnodd.

'Naddo,' cyfaddefodd Tom. 'Ond
mae Storm a fi'n dîm da. Byddwn ni'n
dysgu'n gyflym.'

Ystyriodd Brynach yn ofalus. 'Dwi'n meddwl bod mwy i'ch neges chi na chasglu perlysiau. Pam arall y byddech chi angen ceffyl mor wych, heb sôn am darian a chleddyf?'

Gwenodd Tom yn chwithig, ond ddywedodd o ddim byd.

Ochneidiodd Brynach. 'Bydd raid i mi ymddiried ynddoch chi. Iawn, dewch efo fi,' meddai.

Arweiniodd Tom ac Elena i'r stablau lle roedd car llusg cadarn wedi'i wneud o risgl coeden a chrwyn. Roedd y llafnau oddi tano wedi'u gwneud o bren solet.

Eisteddodd Tom yn sedd y gyrrwr, gydag Elena ac Arian y tu ôl iddo. Roedd yn rhaid i Storm gael pedolau arbennig i'w helpu i deithio ar yr iâ, a safodd yn amyneddgar wrth i of y llwyth eu hoelio i'w garnau. Yn y cyfamser, eglurodd Brynach sut i yrru car llusg gan ddangos i Tom ac Elena sut i dynnu ar yr awenau gyda symudiadau byr, pwrpasol.

Pan oedden nhw'n barod, arweiniodd Brynach y car llusg allan tuag at y caeau iâ ar ymyl y gwersyll.

'Pob hwyl, Tom ac Elena,' meddai. 'Mae fy mab yn siŵr ei fod wedi gweld anghenfil eira go iawn. Ro'n i wedi clywed bod Bwystfilod o'r fath yn amddiffyn pobol y deyrnas, yn lle ceisio'u dinistrio nhw. Ond mae rhyw berygl dienw o gwmpas y dyddiau hyn – yn ôl y sôn mae'n gorwedd i'r gogledd o'r caeau iâ yma, mewn dyffryn llydan y tu draw i'r twyni eira.'

'Diolch,' meddai Tom gan wenu.

'Byddwch yn ofalus gyda 'nghar llusg i!' meddai'r pennaeth.

'Wrth gwrs,' atebodd Tom cyn chwipio'r awenau a gweiddi, 'Dos, Storm!'

Gweryrodd y ceffyl, ac ymhen dim roedd y car llusg yn symud i'r gogledd tuag at y caeau iâ.

Cododd Elena ei llaw i ddweud hwyl fawr, a chyfarthodd Arian yn hapus. I ffwrdd â nhw!

Cododd Brynach ei law yntau i ffarwelio.

Tarodd Tom yr awenau yn erbyn blaen y car llusg, a rhoi bloedd llawn cyffro. Dechreuodd Storm gyflymu, gan ymateb i Tom. Disgynnodd ei glustiau a chulhaodd ei lygaid yn erbyn y gwynt rhewllyd. Tynnodd y car llusg yn gynt ac yn gynt, a thasgai cymylau o iâ ac eira o'r pedolau ac o'r car llusg. Teimlai Tom y cynnwrf yn llifo trwyddo wrth i'r car llusg neidio a sgrialu dros y ddaear arw. Roedd yr haul ar y caeau iâ mor llachar nes bron â'u dallu, a brathiad

oer y gwynt yn chwipio'r gwaed i'w
bochau.

Aethon nhw heibio i dwmpathau
bach meddal o dwyni eira a hafnau iâ
miniog, pyllau disglair o ddŵr a
nentydd byrlymus. Gallai Rhewfys
fod yn cuddio yn unrhyw le, ond
welai Tom 'run arwydd pendant
ohono na chlywed dim cliwiau.

Teithiodd y car llusg trwy ddyffryn eang oedd yn codi a disgyn fel tonnau mawr gwyn.

'Mae'n rhaid mai dyma'r dyffryn roedd Brynach yn sôn amdano,' meddai Elena.

O'u cwmpas ym mhobman roedd anialwch gwastad, gwyn a oedd fel petai'n ymestyn am byth. Roedd

twyni eira ar bob ochr, a dim byd
arall i'w weld heblaw ambell
goeden denau gyda dail agored,
llydan. Sylwodd Tom fod y car
llusg yn gwneud sŵn gwahanol,
glanach wrth iddo grafu ar draws y
ddaear.

  'Mae'n rhaid ein bod ni ar iâ
llyfnach,' galwodd ar Elena.
Cofiodd Tom rybudd Brynach.
Tybed ai iâ trwchus neu denau
oedd hwn? Oedden nhw'n teithio
dros dir solet, neu dros lyn ar lawr y
dyffryn?

  Yr un pryd, sylwodd Tom yn sydyn
mor gynnes y teimlai yn y gôt ffwr
drwchus a gafodd gan Brynach –
hyd yn oed yma ar y gwastadeddau
iâ. Roedd hynny'n beth od, doedd
bosib! Sut gallai hi fod yn storm eira
un diwrnod, yna'n chwilboeth y
diwrnod nesaf? Beth oedd yn
digwydd i'r tywydd?

'Dwi'n chwys domen!' meddai Elena, fel atsain o feddyliau Tom. Tynnodd ei chot ffwr a'i thaflu dros y sedd wrth ei hymyl.

Yn sydyn, clywodd Tom sŵn cracio dwfn. Edrychodd i lawr. Roedd pyllau dŵr o dan lafnau'r car llusg.

Roedd Elena wedi gweld yr un peth. 'Tom!' gwaeddodd. 'Dwi'n credu bod yr iâ'n toddi!'

Cafodd Tom gipolwg ar ddŵr gwyrddlas disglair a edrychai'n llawer dyfnach na phwll. Yna sylweddolodd fod yr iâ wedi hollti ac mai llyn oedd y dŵr oddi tanyn nhw, yn union fel roedd wedi'i amau. Teimlai chwys ar gledrau ei ddwylo. Er mor brydferth oedd lliw y dŵr, gwyddai ei fod yn beryglus iawn hefyd. Pe bai'r car llusg yn suddo i'r dŵr rhewllyd, byddai ar ben arnyn nhw!

'Wô, Storm,' gwaeddodd Tom, Arafodd y ceffyl a sefyll yn stond.

Ond yn sydyn gwyrodd y car llusg i un ochr. Sgrechiodd Elena, a gweryrodd Storm mewn ofn wrth i'r iâ ddechrau chwalu o dan ei garnau.

Cyn i Tom allu gwneud dim, symudodd y car llusg eto gan daflu Elena dros yr ochr a thrwy'r iâ i mewn i'r dŵr rhewllyd!

# PENNOD CHWECH

# ACHUB

'Elena!' bloeddiodd Tom yn llawn panig.

Roedd hi wedi diflannu o dan yr iâ. Udodd Arian a neidio o'r car llusg, gan grafu wrth y twll yn yr iâ lle cwympodd Elena. Sylweddolodd Tom na fyddai Elena'n gallu gweld y twll ac y byddai'n nofio o dan yr wyneb yn ceisio ymladd ei ffordd yn ôl i fyny! Go brin y gallai anadlu yn y dŵr rhewllyd – doedd dim amser i'w golli!

Ceisiodd Tom beidio gwneud symudiadau sydyn wrth lithro i lawr o'r car llusg. Aeth ar ei benligliniau gan chwilio am y symudiad lleiaf o dan y craciau yn yr iâ. Roedd pob eiliad yn cyfri! Pa mor hir y gallai Elena oroesi yn y dŵr rhewllyd? Pa mor hir y gallai ddal ei gwynt?

'Elena!' gwaeddodd eto gan lithro ar ei bengliniau ar draws yr iâ.

Yn sydyn fflachiodd siâp tywyll o dan yr iâ, yn eitha pell o'r fan lle disgynnodd Elena i'r dŵr.

Neidiodd Tom ar ei draed a thynnu'i gleddyf o'r wain. Tynnodd anadl ddofn, a tharo carn y cleddyf â'i holl nerth yn erbyn yr iâ. Roedd yn rhaid i hyn weithio! Ond na! Roedd

yr iâ'n fwy trwchus yma ac yn
gwrthod torri.

'*Tyrd!*' gwaeddodd Tom, a phlannu
carn y cleddyf yn yr iâ â'i holl nerth.
Gallai weld dwylo Elena'n gwasgu i
fyny oddi tano erbyn hyn. Roedd hi'n

siŵr o foddi os na allai Tom ei chael
hi allan *yr eiliad honno*!

Wrth i garn y cleddyf daro i lawr,
torrodd yr iâ. Gwthiodd Elena ei hun
allan o'r dŵr gwyrddlas, yn ymladd
am ei hanadl ac yn las o oerfel.

'Gafael yn dynn!' bloeddiodd Tom. Estynnodd am law Elena, ond roedd hi'n chwifio'i breichiau a sblashio'n galed wrth geisio cadw'i hwyneb uwchben y dŵr. 'Paid â mynd i banig – fydd dim nerth ar ôl gen ti!'

Ond diflannodd Elena eto o dan y dŵr gwyrddlas. Gwthiodd Tom ei law i'r twll, a gweiddi mewn poen. Roedd y dŵr yn oerach nag unrhyw beth roedd wedi'i deimlo o'r blaen. O fewn eiliadau, roedd wedi colli pob teimlad yn ei law.

Yna daeth Elena i'r wyneb unwaith eto. 'Helpa fi, Tom!' ymbiliodd. Ond roedd hi'n gwanhau bob eiliad.

Gwyddai Tom pe bai hi'n mynd i lawr eto, fyddai hi ddim yn codi o'r dŵr wedyn. Roedd yn rhaid iddo'i hachub hi!

Estynnodd Tom ymlaen â'i fraich oer, gan grensian ei ddannedd. Wedi'r cyfan, dim ond ei fraich ef oedd yn y dŵr rhewllyd – roedd corff cyfan Elena ynddo!

'Gafaela yn fy mraich i,' gwaeddodd. 'Dwi'n cydio ynot ti.'

Crynai Elena'n wyllt yn y dŵr, ond llwyddodd i godi'i braich. Roedd hi'n wan iawn, fodd bynnag. Dechreuodd Tom grynu hefyd. Gwyddai fod yn rhaid iddo'i chael hi allan – ond roedd wedi colli pob teimlad yn ei fraich ac ni allai ei symud hi.

Yn sydyn, teimlai Tom rywbeth yn pwyso yn erbyn cefn ei goesau. Arian oedd yno. Roedd y blaidd yn dal awenau'r car llusg yn ei geg, ac yn ceisio'u rhoi nhw o amgylch coesau Tom! Deallodd Tom yn syth beth roedd y blaidd yn ceisio'i wneud. Roedd Storm yn mynd i dynnu'r ddau ohonyn nhw o'r dŵr!

'Arian!' llefodd Tom, gyda rhyddhad yn llifo trwyddo. 'Rwyt ti'n wych!'

Estynnodd Tom ymlaen a rhoi'i law rydd o dan gesail Elena.

Clywodd Arian yn cyfarth ddwywaith, ac yna teimlai ei hun yn cael ei dynnu am yn ôl. Gyda'i gilydd, roedd Storm ac yntau'n tynnu Elena allan o'r twll yn yr iâ!

Tynhaodd Tom ei gyhyrau a llwyddo i ddal ei afael yn ei ffrind wrth i Storm lusgo'r ddau oddi ar yr iâ tenau tuag at yr iâ trwchus, mwy diogel. Curai ei galon fel gordd yn ei frest.

Pan safodd Storm yn stond o'r diwedd, stryffaglodd Tom ar ei draed a helpu Elena i godi. Gyda'i gilydd llwyddon nhw i gyrraedd y car llusg. Gafaelodd Tom yn Elena, ei chodi ar y sedd gefn a lapio'i chôt ffwr amdani. Roedd yn ffodus ei bod hi wedi tynnu'i chôt cyn iddi ddisgyn i'r dŵr – dyma'r unig ddilledyn cynnes, sych oedd ganddyn nhw!

'Dwi'n i-i-iawn,' crynai Elena gan geisio gwenu. Gwichiodd Arian a cheisio swatio wrth ei hochr i ychwanegu ei wres ei hun at y gôt.

'Mae'n rhyfedd,' meddyliodd Tom. 'Er bod y dŵr yn rhewllyd, mae'r tymheredd y tu allan yn dal yn gynnes. Yn rhy gynnes.' Cododd ei ben a syllu ar yr haul a'r awyr las. Nid dyma dywydd arferol gogledd Afantia. Beth oedd yn digwydd?

Gweryrodd Storm yn bryderus, a gwasgu'i ben yn erbyn Tom. Rhwbiodd Tom ei fysedd rhewllyd yn erbyn mwng du'r ceffyl. Roedd sŵn taro yn ei ben.

'Mae'n rhaid mai 'nghalon i sy'n curo'n rhy gyflym,' meddyliodd Tom.

Yna sylweddolodd fod y curo'n dod o rywle arall – sŵn ergydio pell mewn rhythm cyson a bygythiol, ac roedd yr iâ'n crynu'n ysgafn o dan ei draed.

Gwrandawodd Tom yn astud.
Ymhen ychydig clywodd ail sŵn –
sŵn tincial pell cloch yn canu.
Rhewodd calon Tom.
'Rhewfys!' sibrydodd.

# RHWYGO'N DDARNAU

Â churiad ei galon yn cyflymu,
edrychodd Tom o'i amgylch. Gwelai
dwyni eira ar y gorwel pell, ond
doedd dim anghenfil eira i'w weld yn
unman. Yna edrychodd Tom i lawr at
ei draed a gweld gwead cain o
graciau'n ymestyn ar draws yr iâ â
phob ergyd. Daliodd ei anadl wrth i'r
craciau mân ledu o'i amgylch. Efallai
bod Storm yn meddwl ei fod wedi'u

harwain at iâ diogel, ond doedd
hynny ddim yn wir!

Yn sydyn, cofiodd Tom yr hen
straeon a glywodd am Rhewfys pan
oedd yn blentyn. Roedd ei ewythr
wedi dweud wrtho bod yr anghenfil
yn gallu chwalu iâ gydag un ergyd o'i
droed... Dan felltith Moelfryn, gallai
Rhewfys achosi trychineb naturiol
anferth! Pe bai'r caeau iâ'n rhwygo'n
ddarnau, yna byddai'n amhosib
defnyddio'r llwybr masnach i
Afantia. Ni allai neb gludo moddion
i bob rhan o'r deyrnas. Byddai
pobl yn mynd yn sâl ac yn marw!
Roedd yn rhaid iddo wneud
rhywbeth!

'Wyt ti'n gallu teimlo'r ddaear yn
ysgwyd?' sibrydodd wrth Elena.

Roedd Elena'n dal i grynu o oerfel
yn y car llusg. Edrychodd i lawr ar y
we o graciau mân yn yr iâ. 'Rhewfys
sy 'na?' gofynnodd yn bryderus.

'Mae'n rhaid i ni ddod o hyd iddo,' meddai Tom. 'Synnwn i ddim ei fod o'n cuddio yn rhywle yn y twyni eira acw, ar ochr y dyffryn.'

Yn y pellter, clywai sŵn sinistr y gloch unwaith eto. Roedd fel petai'n rhwygo trwy'i synhwyrau, yn wahanol i unrhyw gloch roedd wedi'i chlywed erioed.

Syllodd Elena ar y twyni. 'Be ydy'r sŵn yna?' gofynnodd.

'Mi ddywedodd Albin fod anghenfil yr eira'n gwisgo cloch o amgylch ei wddf,' meddai Tom. 'Efallai mai cloch hud ydy hi – rhan o felltith Moelfryn.'

Tybed oedd cysylltiad rhwng y gloch a'r tymheredd cynnes? Efallai mai ei ddychymyg oedd ar waith, ond teimlai fel petai'n cynhesu bob tro y clywai'r sŵn.

Yn sydyn clywsant ergyd anferth, a dirgrynodd yr iâ trwchus.

Ymddangosodd crac mawr, miniog o'u blaenau. Gweryrodd Storm yn llawn ofn, a chafodd Tom ei daflu i lawr ar ei bengliniau.

'Mae'r cae iâ'n chwalu!' gwaeddodd Tom. Cododd ar ei draed a dechrau tynnu ar harnais Storm. 'Rhaid i ni ryddhau Storm ar unwaith o'r car llusg,' meddai. 'Os bydd yn disgyn trwy fwlch yn yr iâ, mi gaiff ei dynnu i mewn i'r llyn. Fydd ganddo ddim gobaith!'

Llwyddodd Elena i neidio o'r car llusg at Tom, a bu'r ddau wrthi'n brysur yn ceisio rhyddhau byclau'r harnes. Gwichiai ac ochneidiai'r iâ oddi tanyn nhw. Swniai fel anifail yn griddfan mewn poen – fel petai'r iâ ei hun yn fyw! Gweryrai Storm mewn ofn.

O'r diwedd, llwyddodd Tom i ryddhau'r bwcwl olaf. Roedd Storm yn rhydd!

Cipiodd Tom ei gleddyf a'i darian a neidio ar gefn y ceffyl gan dynnu Elena i fyny ar ei ôl.

'Tyrd!' anogodd y ceffyl. Roedd yn rhaid iddyn nhw groesi'r llyn iâ a chyrraedd y twyni eira cyn i'r craciau yn yr iâ droi'n afon!

Gydag Arian yn gwibio wrth eu hochrau, hedfanon nhw ar draws yr iâ, a'r llinell lachar o ddŵr gwyrddlas yn lledu y tu ôl iddyn nhw. Doedd Storm erioed wedi carlamu mor gyflym. Chwipiai'r gwynt eu bochau a chipio'r anadl o'u hysgyfaint.

A fydden nhw'n llwyddo?

'Yn gynt, Storm!' gwaeddodd Tom.
'Yn gynt! Rhaid i ni gyrraedd y twyni
eira!'

Gallai weld bod Arian wedi cyrraedd
y twyni'n ddiogel. Ond eiliadau cyn
iddynt gyrraedd ymyl yr iâ, aeth y crac
heibio iddynt! Yn sydyn, roedd afon o
ddŵr gwyrddlas yn eu hwynebu –
afon a dyfai'n fwy ac yn fwy wrth i
Tom ac Elena syllu mewn arswyd.

Ond doedd Storm ddim am oedi.
Â'i holl nerth, tynhaodd ei gyhyrau a
llamu yn ei flaen. Teimlodd Tom y
gwynt yn chwibanu heibio iddo, yn
union fel petaen nhw'n hedfan! Gallai
glywed Elena'n sgrechian y tu ôl iddo,
ac Arian yn udo wrth i goesau blaen
Storm ymestyn o'i flaen. Glaniodd yn
ddiogel ar yr eira meddal yr ochr
draw, a dim ond modfeddi i'w sbario.
Llithrodd Storm i stop o flaen y twyni,
a'i garnau'n taflu cymylau o eira o'i
gwmpas.

Wrth iddyn nhw lanio, clywsant sŵn bygythiol, ac agorodd yr hollt yn yr iâ mor llydan ag afon, gan ymestyn i bob cyfeiriad mor bell ag y gallen nhw weld. Corddai'r dŵr gwyrddlas marwol. Syllai Tom ac Elena wrth i gar llusg Brynach droi ar ei echel cyn diflannu o dan yr iâ, wedi'i golli am byth.

Eisteddodd y ddau gan anadlu'n drwm, a rhythu ar yr afon yn y cae iâ. Roedd wedi gwahanu gwastadeddau iâ'r gogledd oddi wrth weddill Afantia. Rŵan roedd yn *rhaid* iddyn nhw lwyddo yn eu Cyrch – os mai Rhewfys oedd wedi hollti'r cae iâ, dim ond Rhewfys allai ei wneud yn gyfan eto. Fel arall, fyddai perlysiau gwyrthiol yr arctig fyth yn cael eu cludo o lannau'r gogledd eto, a byddai llawer o bobl y deyrnas yn marw heb y moddion gwerthfawr.

Trodd Tom ben Storm tuag at y twyni eira. 'Mae'n bryd i ni gyfarfod wyneb yn wyneb, Rhewfys,' meddai. 'Tra bo gwaed yn fy ngwythiennau, byddaf yn sicr o lwyddo!'

Yna clywodd sŵn rhuo erchyll, a chnul sinister y gloch. Roedd yn agos iawn y tro hwn.

'Dyma ni!' meddyliai Tom, gydag ofn a phanig yn codi yn ei stumog. 'Mae'r amser wedi dod i gwrdd â Bwystfil arall!'

# RHUO YN Y RHEW

'Mae'n rhaid i mi wynebu fy ofnau!' meddai Tom wrtho'i hun. 'Mae'r Cyrch hwn yn rhy bwysig. Alla i ddim methu. Mae teyrnas Afantia'n dibynnu arna i!'

Trawodd ei sodlau ar ochrau Storm, ac wrth i Elena ddal yn dynn ynddo carlamon nhw tuag at y twyn iâ a gweld eu bod ar ddechrau llwybr cul.

Safai y Bwystfil yn union o'u blaenau.

Roedd yn fwy nag unrhyw anghenfil roedd Tom wedi'i ddychmygu erioed. Roedd ei ffwr yn wyn, a'i lygaid yn gochach na thân y gof, ac edrychai ei grafangau ifori yn fwy miniog na chyllyll. Gwingai ei wyneb erchyll yn ddig a chas, ac o amgylch ei wddf llydan moel crogai cloch fechan ar gadwyn aur. Disgleiriai ag egni dieflig. Tynnodd Rhewfys ar y gadwyn gan geisio tynnu'r gloch yn rhydd, yna udodd yn ffyrnig a tharo'i bawen ar y llawr. Ysgydwodd y twyn eira cyfan.

Ebychodd Elena mewn ofn.

Roedd Rhewfys wedi eu gweld. Rhuodd yn ffyrnig unwaith eto a neidio ymlaen gan anelu'i grafangau ifori tuag atyn nhw...

Udodd Arian, a chododd Storm ar ei goesau ôl gan daflu Tom ac Elena i'r llawr. Daeth Rhewfys yn agosach ac anelu'n syth am Tom.

Llamodd Tom o'r ffordd – dim ond mewn pryd. Daliai ei darian uwch ei ben wrth i grafangau'r Bwystfil rwygo drwy'r awyr. Yna suddodd crafangau Rhewfys yn ddwfn i'r pren a thynnu'r darian i ffwrdd. Trodd Rhewfys ei bawen a thaflu'r darian yn ôl yn syth. Plygodd Tom, a hedfanodd y darian heibio iddo yn ôl at y cae iâ.

Heb ei darian doedd dim gobaith gan Tom. Byddai'n rhaid iddo redeg eto dros yr iâ peryglus i'w nôl.

Rhedodd nerth ei draed, ei ysgyfaint yn llosgi a'i goesau'n pwmpio. Disgwyliai deimlo crafangau'r Bwystfil yn rhwygo drwy ei groen unrhyw eiliad. Yna, pan oedd Tom ar fin cyrraedd y darian, llithrodd ar yr iâ. Ni allai wneud dim ond sgrialu heibio i'r darian gan afael

ynddi wrth fynd. Yna tarodd yn
erbyn un o'r twyni eira eraill.

'Tom! Gwylia!' gwaeddodd Elena

Trodd Tom a gweld Rhewfys yn
neidio tuag ato eto. Cododd ei darian
i'w amddiffyn ei hun, a tharodd
pawen anferth yr anghenfil eira yn ei
erbyn â digon o nerth i fwrw Tom
hanner ffordd i fyny'r twyn eira.
Clywodd Storm yn ffroeni mewn
ofn, ac roedd tincial cyson y gloch
hudol i'w glywed dros sŵn rhuo'r
Bwystfil. Roedd braich Tom yn
boenus iawn, ond sylweddolodd yn
llawn ofn mai dim ond dechrau oedd
Rhewfys.

'Elena, dos â Storm ac Arian yn
ddigon pell i ffwrdd!' gwaeddodd yn
gyflym.

Tarodd y Bwystfil bawen fawr i
lawr ar yr iâ ac anelu'i safnau tuag at
Tom. Gorweddai ef yn llonydd yn yr
eira, wedi'i barlysu gan ofn.

Ond yn sydyn, gyda sŵn cracio dwfn, torrodd yr iâ o dan Rhewfys! Mewn eiliad, diflannodd y Bwystfil i'r dyfnderoedd rhewllyd drwy fwlch cul, yn union fel roedd Elena wedi'i wneud.

Edrychodd Tom yn benysgafn ar y dŵr yn corddi a berwi.

'Tom!' gwaeddodd Elena ar draws yr iâ. 'Estyn dy gleddyf.'

Roedd pen Tom yn dal i droi. 'Beth?' gofynnodd.

'Pan ddaw Rhewfys i fyny am aer—'

Ond wrth iddi siarad, ffrwydrodd y dŵr rhewllyd i'r awyr a thorrodd Rhewfys drwy wyneb yr iâ gan ruo'n fuddugoliaethus. Gallai Tom weld y gadwyn yn glir ar gefn ei wddf.

'Rŵan, Tom!' gwaeddodd Elena wrth i'r Bwystfil ddechrau tynnu'i hun allan o'r dŵr, ei gefn tuag at Tom.

Anadlodd Tom yn ddwfn ac estyn ei gleddyf. Llithrodd ymlaen ar ei fol ar draws yr iâ, fel morlo. Wrth iddo gyrraedd y Bwystfil, anelodd Tom flaen llafn y cleddyf rhwng y croen pinc, amrwd ar ei wddf a'r gadwyn aur, a throi mor galed ag y gallai.

Llwyddodd i blygu un ddolen, ond
doedd y gadwyn aur drwchus ddim
yn mynd i dorri mor hawdd â hynny.

Gwthiodd lafn ei gleddyf yn
ddyfnach i mewn i'r ddolen a thynnu
eto, ei ddwy law ar garn ei gleddyf.
Pwysodd yn ôl wrth i Rhewfys
blymio eto i'r dŵr rhewllyd. Ceisiai

dynnu Tom i mewn hefyd, gan ruo'n wyllt. Pwysai Tom yn ôl â'i holl nerth gan geisio cadw'i draed yn llonydd ar yr iâ llithrig. Os câi ei dynnu i'r dŵr, byddai ar ben arno! Gallai weld y ddolen yn y gadwyn yn plygu fwy a mwy...

'Torra!' plediodd Tom.

Yna, yn sydyn, ffrwydrodd y gadwyn! Diflannodd y dolenni aur yn ddarnau disglair o olau glas, a disgynnodd y gloch fach i'r llawr o'i flaen, wedi'i distewi am byth.

'Hwrê!' gwaeddodd Tom, gan godi'i gleddyf yn fuddugoliaethus i'r awyr.

Suddodd Rhewfys yn ôl i'r dŵr heb unrhyw sŵn.

Yn nerfus disgwyliodd Tom i'r Bwystfil godi i'r wyneb eto, ond roedd y dŵr gwyrddlas oedd wedi llyncu Rhewfys yn dal yn llonydd. Oedd o wedi llwyddo i ryddhau'r

Bwystfil? Efallai ei fod wedi'i ladd.
Oedd o wedi methu yn ei Gyrch
wedi'r cwbl?

Yna ffrwydrodd yr iâ ar agor fel
ffynnon ddisglair ac ymddangosodd
Rhewfys eto gan ei dynnu'i hun o'r
dŵr ac ysgwyd y diferion o'i ffwr
gwyn, trwchus.

Glas disglair, nid coch, oedd ei lygai
erbyn hyn. Am eiliad hir, syllodd
Tom a'r Bwystfil ar ei gilydd. Yna
llusgodd yr anghenfil eira ei draed
tuag ato. Anadlodd Tom yn ddwfn,
ond y cyfan a wnaeth Rhewfys oedd
pwyso'i drwyn oer, gwlyb yn ysgafn

yn erbyn boch Tom, fel petai'n dweud diolch.

Yna, yn sydyn, trodd Rhewfys ar ei sawdl. Neidiodd ar y cae iâ, ei freichiau'n pwmpio a'i draed yn

symud yn anhygoel o gyflym.
Cododd un dwrn anferth i ffarwelio
cyn diflannu y tu ôl i dwyn eira.
Roedd Rhewfys wedi mynd. Yn fwy
na hynny, roedd yn rhydd!

Roedd Tom wrth ei fodd. Roedd
Bwystfil mawr arall wedi'i ryddhau o
felltith ddieflig Moelfryn. Teimlai
Tom yn ffodus iawn! Roedd wedi dod
wyneb yn wyneb â chreaduriaid
mwyaf pwerus y deyrnas. Credai
pawb mai dim ond chwedl oedd y
Bwystfilod, ond roedd o wedi
cyfarfod â nhw, *ac* wedi ymladd
yn eu herbyn – ac ar yr un
pryd roedd yn achub holl deyrnas
Afantia!

Sylwodd ar y gloch fach wrth ei
draed, a'i chodi'n feddylgar. Roedd yr
haul poeth wedi diflannu y tu ôl i
gymylau llwydion, a gallai deimlo'r
tymheredd yn gostwng. Efallai ei fod
wedi bod yn iawn, ac mai rhan o

felltith Moelfryn oedd gwneud gwledydd y gogledd mor boeth fel bod y caeau iâ'n toddi.

Yna trodd Tom yn gyflym ac edrych o'i gwmpas am Elena. Gan fod y tymheredd wedi disgyn, mae'n rhaid ei bod hi'n teimlo'r oerfel ar ôl disgyn i mewn i'r llyn. Rhedodd tuag ati.

Eisteddai ar y twyn eira, ei dannedd yn clecian mor galed fel na allai ddweud gair. Roedd ei chroen yn las oherwydd yr oerfel. Tynnodd Tom ei got ffwr ei hun a'i lapio amdani, yna daliodd hi'n agos er mwyn rhannu gwres ei gorff.

'Rh…rh…rhewi,' meddai Elena'n dawel gan afael yn ei law. 'Ond mi lwyddaist i ryddhau Rhewfys!'

Llyfodd Arian ei hwyneb a rhwbio'i drwyn yn erbyn ei chlust.

'Mi lwyddon *ni* i ryddhau Rhewfys. Pawb ohonon ni,' meddai Tom. 'Paid

â phoeni. Bydd popeth yn iawn,'
ychwanegodd er mwyn ceisio'i
chysuro.

Ceisiodd Tom wenu, ond roedd yn
dechrau mynd i banig. Roedd Elena'n
wlyb at ei chroen, a gallai'n hawdd
farw o oerfel. Roedd yn nosi'n
gyflym. Heb gysgod, dim i'w
hamddiffyn na char llusg i'w cario'n
ôl i'r gwersyll... a fyddai Elena'n byw
tan y bore?

# GWELLA

Edrychodd Tom i fyny wrth glywed
sŵn gweryru uchel. Safai Storm ar
ben y twyn eira yn rhythu tua'r
dwyrain gan ysgwyd ei fwng a tharo'i
droed ar y llawr.

Teimlai Tom fod y ceffyl yn ceisio
tynnu'i sylw at rywbeth.
'Bydda i 'nôl mewn eiliad,' meddai
Tom wrth Elena, cyn dringo'r twyn
yn gyflym.

O ben y twyn, gallai Tom weld
dros y caeau iâ eang. Yn y pellter
roedd dau berson mewn car llusg yn
cael ei dynnu gan ebol euraid,
golygus...

Ai Brynach ac Albin oedd yna,
tybed?'

'Hei!' gwaeddodd. 'Help! Help!'
Ond gwyddai ei fod yn rhy bell.
Fydden nhw byth yn ei glywed.

Taflodd Tom ei freichiau o gwmpas
gwddf Storm. 'Aros di gydag Elena,
fachgen. Dwi'n mynd i chwilio am
help!'

Pan oedd wedi rhyddhau Tagus, y
ceffyl-ddyn, roedd Tom wedi derbyn
darn o bedol y Bwystfil i'w roi yn ei
darian hudol. Roedd hynny wedi rhoi
cyflymder iddo – ac roedd angen
hynny arno'r eiliad hon!

Trodd y darian wyneb i waered a
neidio arni cyn llithro i lawr ochr
serth y twyn eira. Ond ar ôl cyrraedd

y gwaelod, doedd o ddim yn arafu o gwbl. Yn wir, roedd yn cyflymu! Roedd yr hud yn y darian yn gweithio!

Yn sydyn, roedd yn hedfan ar ei darian ar draws y cae iâ tuag at y car llusg. Roedd y gwynt yn rhewllyd, a theimlai'r oerfel yn treiddio drwy ei diwnig gwlân. Ond gorfododd ei hun i ganolbwyntio ar gyrraedd y car llusg.

Yna cododd un o'r bobl yn y car llusg ar ei draed, a chwifio'i ddwylo'n wyllt!

Albin oedd yna!

'Ro'n i'n meddwl bod arnoch chi angen help!' gwaeddodd.

Gwenodd Brynach. 'Roedd o'n mynnu ein bod ni'n dod ar eich holau chi. Roedd o'n synhwyro eich bod chi mewn perygl. Ydych chi'n iawn?'

Gwenodd Tom mewn rhyddhad. 'Rydyn ni'n iawn – ond mae ar Elena angen eich help i'w gwella. Does dim eiliad i'w golli!'

'Welaist ti'r anghenfil eira?' gofynnodd Albin yn eiddgar.

'Galla i gadarnhau bod eich pobol chi'n ddiogel unwaith eto,' meddai Tom gan wenu. Roedd wedi addo cadw'r Cyrch yn gyfrinach – ni allai dorri ei addewid, er ei fod bellach wedi rhyddhau Rhewfys.

'Dwi'n deall, Tom,' meddai Brynach gan roi ei law ar ei ysgwydd. 'Diolch. Mae dyled y llwyth i ti yn fawr iawn.'

Yn fuan, cyrhaeddodd y tri y dyffryn lle roedd Elena'n crynu o oerfel. Cynhesodd Brynach hi a'i gwneud yn gyfforddus gyda dillad sych a blancedi gwlân, trwchus. Daeth ei foddion perlysiau â'r lliw yn ôl i'w hwyneb.

'Ddwedes i y byddai popeth yn iawn,' meddai Tom, gan wasgu llaw oer ei ffrind.

Gwasgodd hithau'n ôl a gwenu. 'I ti mae'r diolch am hynny!' meddai.

Rhuthrodd Brynach ac Albin yn ôl i'r gwersyll i ddweud wrth weddill y llwyth bod tiroedd y gogledd yn ddiogel unwaith eto – ac i drefnu gwledd fawr i ddathlu!

Dilynodd Tom ac Elena ar gefn Storm, gydag Arian yn rhedeg wrth eu hochr.

'Mae'r caeau iâ'n dechrau ymuno'n ôl gyda'i gilydd eto,' meddai Tom.

'Mae'r tir yn gwella'i hun,' cytunodd Elena.

Roedd hynny'n wir, gan fod rhannau o'r afon wyrddlas wedi ailrewi'n barod. Byddai'r sianel fasnach i gludo perlysiau a moddion i weddill Afantia yn agor eto gan nad oedd Rhewfys bellach yn chwalu'r iâ, ac roedd y tywydd fel y dylai fod. Gallai'r llwyth fyw a gweithio mewn heddwch unwaith y byddai Rhewfys wedi erlid y cathod eira ac anifeiliaid gwyllt eraill o'r caeau iâ.

Wrth iddyn nhw deithio trwy'r eira, gwelson nhw olau niwlog cyfarwydd yn ymddangos yn yr awyr. Yn araf, ffurfiodd hwnnw'n siâp dyn â gwallt gwyn yn gwisgo clogyn coch. Edrychai fel pe bai'n hofran ar yr iâ wrth eu hymyl.

'Y Dewin Aduro!' meddai Tom. Gwyddai y gallai'r dewin ddilyn eu taith o balas y Brenin Iago yn y ddinas. 'Ro'n i'n meddwl tybed a fyddech chi'n ymddangos!'

'Unwaith eto rydych chi wedi ymddwyn yn ddewr ac wedi brwydro'n dda,' meddai'r dewin wrthyn nhw. 'Mae Rhewfys yn rhydd i amddiffyn pobol tiroedd y gogledd eto, a rŵan bydd holl foddion y deyrnas yn cyrraedd gweddill Afantia'n saff.'

'*Oedd* Moelfryn yn rheoli'r tywydd yma?' gofynnodd Tom.

'Mae ei hud yn gryf,' meddai
Aduro. 'Gallai ddylanwadu ar y
tywydd mewn ardal fach – trwy'r
gloch hudol o amgylch gwddf
Rhewfys. Gallai achosi stormydd eira
neu wneud i'r tymheredd godi. Ond
pan dorraist ti'r gadwyn, mi dorraist
ti'r hud hefyd.'

Tynnodd Tom y gloch fach o'i
boced. Roedd yn anodd credu bod
rhywbeth mor fach yn gallu creu
cymaint o ddifrod.

'Rho'r gloch ar dy darian,' dywedodd y dewin wrtho. Ufuddhaodd Tom. 'Fel y mae cen y ddraig yn dy warchod rhag tân, dant y neidr yn dy warchod rhag dŵr, pluen yr eryr yn dy warchod rhag disgyn, a'r darn o bedol yn rhoi cyflymder i ti, bydd y gloch yn dy warchod di rhag oerfel.' Edrychodd arnyn nhw'n ddifrifol. 'Ond cofia di hyn, mae angen mwy na hud arnat ti i ymladd y Bwystfil mwyaf ffyrnig ohonyn nhw i gyd.'

Crynodd Elena. 'Ai dyna pwy fyddwn ni'n ei gyfarfod nesa?'

Nodiodd Aduro. 'Rhaid i chi deithio i'r Dwyrain Pell lle mae Epos, aderyn y fflam, yn byw. Dyma fydd y prawf anoddaf.' Edrychodd y dewin draw at wersyll y llwyth. 'Ond yn gyntaf mae'n rhaid i chi orffwys. Yfwch, bwytewch a mwynhau. Rhaid i chi gryfhau ar gyfer y daith hir sydd o'ch blaenau – ac ar gyfer eich brwydr yn erbyn Epos.' Cododd ei fraich i ffarwelio, a dechreuodd ddiflannu o'r golwg. 'Pob hwyl…'

Yna roedd wedi mynd.

Gweryrodd Storm yn dawel, ac edrychodd Arian ar Elena.

'Y Bwystfil mwyaf ffyrnig ohonyn nhw i gyd,' meddai Elena'n nerfus.

'Wnawn ni ddim meddwl am hynny heno,' meddai Tom. 'Beth am i ni fwynhau'r wledd a wynebu'r dyfodol fory.'

Roedd anturiaethau newydd yn eu haros. Oedd o'n ddigon cryf i'w hwynebu? Meddyliodd Tom am ei dad oedd ar goll.

'Tra bod gwaed yn fy ngwythiennau, bydd o'n falch ohona i,' meddai. 'A bydda i'n dilyn y Cyrch i'r diwedd!'

Ymuna gyda Tom yng ngham
nesaf ei Gyrch ym Myd y Bwystfilod!

Dyma

# Epos
## Aderyn y Fflam

Wnaiff Tom lwyddo i ryddhau Epos
o swyn ddieflig Moelfryn?

# PROLOG

'Rydw i ar goll,' meddyliodd Owen.

Unwaith eto, roedd y twnnel yn dod i ben mewn ogof dywyll. Cododd panig i wddf y bachgen wrth iddo geisio cofio'i ffordd 'nôl. Ond doedd ganddo ddim gobaith. Er ei fod wedi gadael marciau sialc ar y waliau, roedd yn rhy dywyll i'w gweld nhw.

Ychydig amser yn ôl, roedd Owen wedi bod yn chwarae y tu allan i'r ogofâu ar ochr ogleddol y pentref. Yna, roedd wedi clywed sŵn yn dod o'r ogofâu. Sŵn siffrwd a chrafu. Doedd pobl byth yn arfer mynd i mewn i'r ogofâu gan eu bod yn beryglus, ac yn ymestyn am filltiroedd o dan y ddaear. Roedd cwymp creigiau'n gyffredin hefyd. Ond allai o ddim anwybyddu beth bynnag oedd yno.

'Mae'n rhaid bod anifail wedi crwydro i mewn, a mynd ar goll,' meddai wrtho'i hun. 'Fydda i ddim yn hir yn helpu'r creadur bach i ddod allan.'

Roedd wedi ceisio dilyn sŵn y siffrwd – a rŵan roedd ar goll yn llwyr. Safai'n ddiymadferth yn y duwch oer.

'Oes rhywun yna?' gwaeddodd. Atseiniai'i
lais yn annaearol yn y gwagle o'i gwmpas.
Roedd yr ogofâu hyn yn cipio'r sŵn lleiaf a'i
droi, gan wneud iddo ymddangos fel petai'n
dod o gyfeiriad gwahanol.

Ymbalfalodd yn ei flaen a chyffyrddodd ei
fysedd â'r graig arw – yna dim byd.

Camodd Owen yn ei flaen, a sylweddoli ei
fod wedi dod o hyd i geg ogof newydd.

Ychydig o ffordd i mewn, roedd golau gwan.
Edrychodd i fyny a gweld llygedyn o awyr
lwyd yn y graig yn uchel uwch ei ben.

Yna crafodd ei droed yn erbyn rhywbeth ar y
llawr. Darn o arf llosg. O ble oedd hwn wedi
dod? A beth oedd wedi digwydd i'r marchog
oedd yn ei wisgo? Edrychai fel darn o fetel a
ddefnyddiai'r marchogion i warchod eu gên a
rhan isaf yr wyneb, ond yn llai.

Yn sydyn rhwygodd sgrech erchyll drwy'r
awyr. Gwaeddodd Owen mewn ofn gan
edrych o'i amgylch yn wyllt.
Ymddangosodd siâp tywyll o'r cysgodion a
sefyll yn uchel dros ei ben. Mewn braw, gwelai
Owen mai clamp o aderyn oedd yno!

Agorodd ei adenydd anferth. Roedden nhw
fel hwyliau llong ac wedi'u gorchuddio â phlu

mân o liw aur tywyll. Roedd ei big mor hir a miniog â chleddyf. Rhythai dau lygad ffyrnig ar Owen, a'r rheiny'n disgleirio fel haearn yn nhân y gof. Crafai crafangau anferth y creadur ar y graig gan ei rhwygo'n ddarnau.

Curai calon Owen, a sylweddolodd mai dyma'r sŵn roedd wedi'i glywed. Dyma'r anifail roedd wedi gobeithio'i achub… Rŵan, *fo* oedd angen cael ei achub – ac yn gyflym!

Plygodd y creadur tuag ato – yna ffrwydrodd fflamau o'i gorff pluog anferth! Taflodd Owen ei hun i'r llawr wrth i'r Bwystfil godi i'r awyr a'i adenydd tanllyd yn curo'n wyllt wrth iddo hedfan yn syth tuag ato…

# PENNOD UN

## Y BYGYTHIAD TANLLYD

'Mae'n rhaid ein bod ni bron â chyrraedd pen draw'r goedwig erbyn hyn,' gwaeddodd Tom ar ei ffrind, Elena a gerddai y tu ôl iddo. Gafaelodd yn ei gleddyf a thorri trwy'r tyfiant trwchus oedd ar draws y llwybr. Roedd y golau'n wan, a'r awyr lwyd prin yn y golwg drwy'r canghennau deiliog uwchben.

'Paid â phoeni, mi ddown ni drwyddi,' meddai Elena'n gysurlon wrth Tom. Roedd hi'n arwain Storm, ceffyl du Tom ac arhosodd am ychydig gan bwyso yn erbyn y ceffyl. 'Ond byddai hoe fach yn beth da.'

Suddodd Arian, ei blaidd anwes, i'r gwair hir wrth ei hochr a chyfarth. 'Glywaist ti hynna?' gwenodd Elena. 'Mae Arian yn cytuno efo fi.'

Ond ysgydwodd Tom ei ben. 'Rydan ni wedi cymryd bron i bythefnos i gyrraedd fan hyn. Mae'n rhaid i ni fynd yn ein blaenau.'

'Fyddai dim llawer o bobol ar frys i frwydro yn erbyn aderyn tân anferth!' meddai Elena.

Roedd Tom wedi blino'n llwyr hefyd. Ond yn gwbl benderfynol, cododd ei gleddyf a tharo'n ffyrnig yn erbyn y tyfiant. Roedd ar gyrch pwysig ar ran brenin Afantia, y Brenin

Iago. Allai o ddim ildio rŵan, gyda phen y daith bron yn y golwg.

Ei dasg oedd achub y deyrnas rhag y Bwystfilod oedd yn ei phoeni. Creaduriaid chwedlonol oedden nhw, wedi'u melltithio gan Moelfryn, y Dewin Du. Arferai Tom feddwl mai dim ond straeon tylwyth teg oedd y Bwystfilod, ond erbyn hyn gwyddai eu bod nhw'n greaduriaid go iawn.

Roedd Elena ac Arian wedi ymuno gyda Tom ar y Cyrch, a gyda'i gilydd roedden nhw wedi rhoi eu bywydau mewn perygl wrth geisio rhyddhau'r Bwystfilod rhag melltith Moelfryn. Roedden nhw eisoes wedi wynebu cawr ag un llygad, a neidr fôr lithrig. Roedden nhw wedi ymladd yn erbyn ceffyl-ddyn, draig dân ac anghenfil eira erchyll. Rŵan, eu tasg oedd rhyddhau Epos, aderyn y fflam, rhag y felltith fawr.

Tynnodd Tom ei darian oddi ar ei gefn a'i defnyddio i wasgu'r rhedyn. 'Beth am i ni orffwys am ychydig wrth astudio'r map?' meddai wrth Elena.

'Syniad da!' atebodd Elena gan ddisgyn i'r llawr wrth ymyl Arian.

Pwysodd Storm drosodd a gorffwys ei drwyn ar ei hysgwydd, gan weryru'n ysgafn.

Estynnodd Tom fap hudol Afantia o'i boced.

Anrheg oedd y map gan gynghorydd pwysicaf y brenin, y Dewin Aduro.

Eisteddai Tom wrth ymyl Elena. Wrth i'w fys ddilyn amlinell y coed, y bryniau a'r llynnoedd, codai'r lluniau o'r papur gan sefyll cyn daled ag ewin ei fawd. Roedd llinell werdd ddisglair yn dangos y llwybr a droediodd y ddau ohonyn nhw o gaeau iâ'r gogledd pell i'r goedwig fawr hon yn y dwyrain. 'Rydyn ni bron â chyrraedd cwr y goedwig,' meddai Tom yn falch.

Pwyntiodd Elena at fynydd bychan ar y map, y tu draw i'r goedwig. 'Mae'n rhaid mai llosgfynydd ydy hwnna,' meddai. Wrth iddi edrych, codai cymylau bach o fwg o'r mynydd ar y papur.

'Yn ôl y sôn, llosgfynydd cwsg ydy o,' meddai Tom. 'A dyna lle byddwn ni'n dod o hyd i Epos.' Teimlai'n gyffrous wrth edrych ymlaen at y Cyrch. 'Mae Aduro'n dweud mai Epos ydy'r Bwystfil cryfaf ohonyn nhw i gyd.'

Gwgodd ar y map. 'Pam byddai unrhyw un yn adeiladu pentref mor agos at losgfynydd – hyd yn oed llosgfynydd cwsg?'

'Mae'r pridd o amgylch llosgfynyddoedd yn ffrwythlon iawn, felly mae cnydau'n tyfu'n dda yno,' meddai Elena. 'Mi ddysgais i hynny gan fy ewythr.' Edrychodd i lawr ar ei dwylo. 'Mae 'na amser hir ers i mi adael fy mhentref. Dwi'n hiraethu am y bobol yno.'

Gwenodd Tom arni. 'Ar ôl i ni orffen y Cyrch, dwi'n siŵr y bydd Aduro'n mynd â ti adref.'

'Ond beth amdanat ti?' meddai Elena. 'Fyddi di'n mynd 'nôl at dy fodryb a dy ewythr yn Erwynau?

'Byddaf, mae'n debyg,' meddai Tom gan edrych i ffwrdd. 'Ond fy mhrif ddymuniad ydy dod o hyd i 'nhad.'

Roedd ei fam wedi marw ar enedigaeth Tom, a'i dad, Taladon, wedi diflannu'n fuan wedyn. Cafodd Tom ei fagu gan ei fodryb a'i ewythr – ond roedd yn dal i obeithio dod o hyd i'w dad rywbryd. Y cyfan a wyddai oedd bod Taladon wedi gwasanaethu'r Brenin Iago yn y gorffennol, yn union fel roedd Tom yn ei wneud yn awr...

'Aros.' Sniffiodd Tom yn awr. 'Wyt ti'n gallu arogli... mwg?'

Pesychodd Elena. 'Mae'n rhaid bod rhywun wedi cynnau tân.'

Yn sydyn clywyd dwndwr mawr trwy'r goedwig, ac ysgydwyd y llawr oddi tanyn nhw. Gweryrodd Storm a chodi ar ei garnau ôl mewn ofn wrth i Tom ac Elena straffaglu ar eu traed. Edrychodd Tom i fyny. Trwy'r dail cafodd gipolwg ar gymylau o fwg tywyll yn cuddio'r awyr. Saethai llinellau main o fflamau trwy'r cymylau fel sêr gwib.

'Y llosgfynydd!' ebychodd Elena. 'Mae o ar fin ffrwydro!'

'Rhaid i ni gysgodi,' meddai Tom. 'Mae'n amlwg bod aderyn y fflam yn achosi cynnwrf!'

Yna rhewodd Elena. 'Edrycha!' meddai'n ofnus, gan rythu'n syth heibio i Tom.

Trodd Tom a theimlo'i galon yn neidio i'w wddf. Safai aderyn anferth mewn llecyn agored heb fod ymhell oddi wrthyn nhw. Roedd ganddo big fain, finiog a disgleiriai fflamau lliw fioled o'i amgylch.

Roedd rhuban aur wedi'i glymu o amgylch un o'i goesau cyhyrog a mygai'r ddaear o dan ei grafangau. Ysgubodd ei adenydd llachar, anferth yn erbyn y llwyni gerllaw – a'u rhoi nhw ar dân.

'Epos,' anadlodd Tom, a'i fysedd yn tynhau o amgylch carn ei gleddyf. 'Mi ddaethon ni yma i chwilio amdano fo – ond fo sydd wedi dod o hyd i ni!'

Culhaodd llygaid coch ffyrnig y Bwystfil wrth iddo esgyn i'r goedwig danllyd. Gwelodd Tom belen o dân yn ffurfio o'r fflamau lliw fioled wrth ei draed.

Yna, gyda gwaedd ffyrnig, taflodd Epos y belen dân – yn syth at Tom!

**Dilynwch y Cyrch i'r diwedd yn**
**EPOS**
**ADERYN Y FFLAM**

Cofia ddarllen am
anturiaethau eraill
Byd y Bwystfilod . . .

ADAM BLADE

# Byd y Bwystfilod

## SEPRON Y NEIDR FÔR

ADDASIAD TUDUR DYLAN JONES

RILY

**www.rily.co.uk**

ADAM BLADE

# Byd y Bwystfilod

IDRIS, CAWR Y MYNYDD

ADDASIAD TUDUR DYLAN JONES

RILY

www.rily.co.uk

ADAM BLADE

# Byd y Bwystfilod

TAGUS Y CEFFYL-DDYN

ADDASIAD TUDUR DYLAN JONES

RILY

**www.rily.co.uk**